정신은
어디에 있나요?

브리지트 라베는 작가입니다. **피에르 프랑수아 뒤퐁 뵈리에**는 소르본 대학에서 철학을 가르치고 있어요. **자크 아잠**은 일러스트레이터로 〈철학 맛보기〉 시리즈의 모든 그림을 그렸으며, 만화도 그리고 있습니다.
이 책을 우리말로 옮긴 **박상은** 선생님은 프랑스 세인트 위르술레 고등학교를 졸업하고 연세대학교에서 불어불문학과 교육학을 전공했습니다. 소르본 대학에서 DEA박사 학위를 받았고 지금은 영어와 프랑스어 도서 전문 번역 작가로 활동 중입니다.

철학 맛보기 24 정신은 어디에 있나요? — 몸과 정신

지은이 · 브리지트 라베, 피에르 프랑수아 뒤퐁 뵈리에 | 그린이 · 자크 아잠 | 옮긴이 · 박상은
첫 번째 찍은 날 · 2014년 1월 15일
편집 · 김수현, 문용우 | 디자인 · 박미정 | 마케팅 · 임호 | 제작 · 이명혜
펴낸이 · 김수기 | 펴낸곳 · 도서출판 소금창고 | 등록번호 · 2013-000302호
주소 · 서울시 마포구 포은로 56, 2층(합정동) | 전화 · 02-393-1174 | 팩스 · 02-393-1128
전자우편 · hyunsilbook@daum.net
ISBN · 978-89-89486-84-8 64860
ISBN · 978-89-89486-80-0 64860(세트)

LE CORPS ET L'ESPRIT
Written by B. Labbé, P.-F. Dupont-Beurier and J. Azam
Illustrated by Jacques Azam
Copyright ⓒ 2006 Éditions Milan – 300, rue Léon Joulin, 31101 Toulouse Cedex 9 France
www.editionsmilan.com
Korean translation copyright ⓒ Sogumchango, 2014
This Korean edition was published by arrangement with Éditions Milan through Sibylle Books Literary Agency, Seoul

철학 맛보기 **24** 몸과 정신

| 브리지뜨 라베 · 뒤퐁 뵈리에 지음 | 자크 아잠 그림 | 박상은 옮김 |

정신은 어디에 있나요?

 소금창고

● 철학 맛보기의 메뉴 ●

정신이 나갔을 때

롤랑은 자동차에서 나와 소리를 지르며 길을 막고 있는 트럭을 향해 뛰어갔습니다. 트럭 운전사가 차에서 짐을 내리려 하자 롤랑은 다짜고짜 상자를 낚아채더니 사정없이 길바닥에 내팽개쳤어요. 그 순간 상자에 담겨 있던 음료수 병들이 박살이 나면서 지나가던 사람들의 몸에 마구 튀었답니다. 롤랑은 얼굴이 벌개져서 입에 거품을 물고 고함을 질렀어요. 두 눈에는 불길이 활활 타오르는 것 같았지요.

이 모습을 지켜본 사람들은 롤랑이 화를 참지 못해 정신이 나갔다고 생각했어요. 정신은 우리가 만지고 느낄 수 있는 것이 아니에요.

또 눈에도 보이지 않아요. 하지만 정신이 나간 사람을 보면 안답니다. 지금 저 사람이 제정신이 아니구나 하는 것을요.

"불이야! 불!"

사람들이 자리에서 벌떡 일어나 사방으로 뛰어다니며 소리를 질렀어요. 한바탕 난리가 벌어졌지요. 세실은 불이 난 걸 보고 휴대전화를 꺼내 119에 신고를 했습니다. 몇 분 후면 소방관들이 화재 현장에 도착할 거예요.

세실은 마음을 가다듬고 정신을 차리려고 애썼어요.

정신은 만질 수도 없고 느낄 수도 없어요. 또 눈에도 보이지 않아요. 하지만 정신이 온전한 사람을 보면 안답니다. 정신이 말짱하다는 걸 말이에요.

내 마음대로 할 거예요 !

"일요일에 돌아올 테니 집에서 얌전히 공부나 좀 하렴. 3주 후면 시험이잖니. 시간이 금세 간다는 걸 잊지 마라."

부모님의 말씀을 들으면서도 발렝탕의 머릿속에는 온통 저녁에 놀러 올 친구들 생각뿐이었습니다. 피자를 시켜 먹고 친구 요아킴이 가져올 음악 시디를 들을 생각에 마음이 들떴지요. 발렝탕은 머리에 바를 젤을 찾으러 갔어요.

"냉장고에 음식이 가득하니까 따로 시켜 먹지 않아도 돼."

"네, 알겠어요. 잘 다녀오세요."

발렝탕은 딴생각을 하며 건성으로 대답했지요.

다행히도 발렝탕의 부모님은 아들의 생각을 읽을 수 없

어요. 참 다행스럽게도 아들은 자신의 속마음을 숨길 수 있지요!

하지만 우리는 자신이 어떤 생각을 하는지 잘 알아요. 그 생각을 드러내어 표현하지 않으면, 아무도 우리가 무슨 생각을 하는지 알 수 없답니다.

정신의 여행

외출 금지령을 받은 마야는 방에만 있어야 했어요. 마야는 침대에 누워 큰언니를 생각했어요. 마야의 언니는 두 달 전에 독립을 해서 나갔거든요. 마야는 나중에 자신이 살게 될 집을 상상해 보았어요. 집을 온통 오렌지색으로 칠하고 바닥에는 카펫을 깔 거예요. 마야의 남편은 키가 매우 크고 머리카락이 검정색이어야 해요. 또 아이는 셋 정도는 낳을 거예요. 어쩌면 둘만 가질 수도 있고요. 마야는 꼭 고양이를 키우고 싶어요. 하지만 남편에게 고양이 털 알레르기가 있다면 어떡하죠?

마야는 알레르기가 있는 남자와는 결혼하지 않기로 결심했어요. 정원이 딸린 집에 살면서 고양이가 놀 수 있는 나무도 심기로 했지요. 마야는 나무에 올라간 고양이를 잡기 위해 큰 사다리를 타고 올라갈 거예요. 그러다가 고양이가 밑으로 뛰어내리면 마야도 얼른 내려가 뒤를 쫓아갈 거예요. 집 안으로 들어간 마야는 빵에 초 콜릿 잼을 발라 먹을 거랍니다.

마야의 몸은 방 안에 있지만 그녀의 정신은 방을 떠나 여행을 하는 중이에요. 미래의 시간으로 먼 여행을 떠난 거지요. 마야의 정신 여행은 아무도 막지 못해요. 정신 은 우리를 현재에서 벗어나 먼 곳으로 시간 여행을 하게 해 주지요. 과거로 되돌아가기도 하고 미래로 앞서가기 도 해요. 정신은 우리를 이곳이 아닌 저 어딘가의 다른 곳으로 안내한답니다.

아니라고 말해요!

클레망스는 너무 지쳐서 경기를 포기하고 싶었어요. 온몸이 땀에 젖고 다리도 뻣뻣해져서 옴짝달싹할 수가 없었답니다. 클레망스는 마지못해 자리에서 일어났어요. 온몸에 물을 뿌리고 단 음식을 먹었어요. 클레망스는 라켓을 손에 쥐고 다시 경기장으로 들어갔지요.

클레망스는 더 이상 몸을 움직일 수 없었어요. 아무데나 드러눕고 싶은 마음이 굴뚝같았지요. 하지만 클레망스는 정신력을 발휘해 끝까지 경기를 하기로 결심했습니다.

주스틴은 몸이 덜덜 떨렸어요. 너무 무섭고 겁이 나서 도망치고 싶은 마음뿐이었죠. 하지만 물에 빠져 허우적대는 소녀를 내버려 둘 수는 없었답니다.

무슨 일이 있어도 소녀를 구해내야만 했죠.

주스틴의 몸은 자꾸만 도망가고 싶었어요. 산더미처럼 밀려오는 파도를 보니 너무 무섭고 겁이 났지요. 하지만 주스틴은 용기를 내어 돌아섰어요. 결국 물에 뛰어들기로 결심했답니다.

인간의 정신은 몸에게 '안 돼'라고 말할 수 있는 힘을 가졌어요. 그래서 몸이 원하고 강요하고 요구하는 것에 저항할 수 있답니다.

인간이란 무엇일까요?

"인간이란 무엇일까요?"

"내가 바로 인간이지!"

"그럼, 넌 누군데?"

"난 줄리 뒤랑이지."

"좋아, 하지만 너에겐 이름과 성이 없어도 넌 여전히 인간이겠네."

"당연하지. 나에겐 두 팔과 다리, 그리고 머리와 몸이 있어."

"그럼, 인간은 이 몸을 말하는 거겠네."

"그렇지."

"만약에 두 팔과 두 다리가 잘려도 그래도 인간인 거지?"

"그렇지. 당연한 걸 묻는군!"

"좋아. 그럼 다른 질문을 해 볼게.

침팬지는 왜 인간이 아닌 걸까?

침팬지도 두 팔과 다리가 있어.

머리도 있고 너랑 몸도 비슷하게 생겼는걸."

"그만해. 너 때문에 자꾸 머리가 아프잖아!"

맞아요! 쉽게 대답하기 어려운 질문이죠. 고고학자들은 수백만 년 전에 있었던 뼈를 발견했어요. 이 뼈의 주인이 인간의 조상이라는 것을 어떻게 알 수 있을까요? 고고학자들은 뼈에 숨겨진 단서들을 찾았답니다.

고고학자들은 뼈가 발견된 주변에서 갈아 만든 돌도끼와 여러 가지 도구들을 발견했습니다. 그래서 인간이 그 시기에 살았다는 걸 알아냈지요. 또 뼈가 무덤처럼 생긴 곳에 묻혀 있거나 주변의 동굴에 그림이 그려져 있는 것을 보고 그 시기에 인간이 살았을 거라

고 추측했어요. 도구들과 무덤, 동굴 그림은 우리 조상들이 아주 오래전에 남겨 놓은 흔적이니까요. 사람이 죽으면 썩기만 하는 것이 아니라 멋진 사후 세계가 있을 거라고 믿었답니다.

이처럼 나중에 일어날 일을 예상하고 미래를 상상하는 것, 계획을 짜고 하루를 더 즐겁게 만드는 것은 바로 정신이 하는 일이지요.

마리옹과 딜란

마리옹은 바다에서 한 시간 가까이 수영을 했어요. 바닷물은 따뜻하고 파도도 잔잔했습니다. 기분 좋게 헤엄치던 마리옹은 이상한 느낌이 들어 주위를 둘러보았어요. 그제야 자신이 해변에서 너무 멀리 왔다는 것을 깨달았지요. 그 순간 마리옹은 겁이 나서 어찌할 줄을 몰랐어요.

바로 그때 2미터쯤 떨어진 곳에서 머리 하나가 수면으로 불쑥 올라왔습니다. 아마 스킨스쿠버 다이빙을 하고 있었던 모양이에요. 남자가 마스크를 벗고 호흡기를 빼더니 마리옹을 보고 깜짝 놀랐어요. 그리고 마리옹에게 괜찮은지 물었어요.

"네, 괜찮아요. 이렇게 멀리까지 온 줄 몰랐어요."

"저도 돌아가려던 참인데 같이 가시죠."

마리옹과 남자는 천천히 수영을 하며 이야기를 나누

었어요. 알고 보니 두 사람이 같은
도시에 살고 있었어요.
또 좋아하는 음악
과 독서 취향도
비슷했지요. 비록
정치에 대한 생각은
서로 달랐지만요. 마리

옹은 딜란이 말을 참 잘한다는 생각이 들었어요. 똑똑하
고 재미있고 교양 있는 남자 같았지요. 마리옹은 딜란의
멋진 초록색 눈을 보면서 확실히 같은 또래의 유치한
남학생과는 다르다고 생각했답니다.

　이런저런 이야기를 나누다 보니 두 사람은 어느새 해
변에 닿았어요. 마리옹은 딜란과 함께 좀 더 시간을 보
내고 싶었어요. 먼저 물 밖으로 나와 딜란에게 말을 걸
려고 고개를 돌리는 순간, 마리옹은 너무 놀라서 말이
나오질 않았어요. 딜란의 키가 작아도 너무 작았기 때문
이에요. 마리옹은 키가 그렇게 작은 남자는 처음 보았어
요. 키가 열 살짜리 아이 정도밖에 되지 않았거든요.

이 이야기를 읽으면서 참 안타깝다는 생각이 들었을 거예요. 해변에 도착하기 전만 해도 마리옹은 가슴이 콩닥콩닥 뛰었어요. 하지만 물 밖으로 나온 마리옹은 그만 할 말을 잃고 말았어요. 과연 딜란에게 자신의 전화번호를 주어야 할지 고민이었습니다.

20센티미터

마리옹은 어떤 결정을 할까요? 상대의 몸이 마음에 들지 않아도 둘의 만남을 이어 갈까요? 아니면 정신적으로 끌렸다고 해도 만남을 거기서 끝냈을까요?

마리옹은 자신의 짐을 놓아둔 곳으로 걸어갔어요. 머릿속이 너무나도 혼란스러웠죠. 친구들에게 딜란을 소개했을 때 어떤 반응을 보일지 상상했어요. 키가 겨우 150센티미터밖에 안 되는 남자와 다닌다면 창피할 거예요. 마리옹은 딜란에게 부모님과 점심 약속이 있다고 거짓말을 할까 고민했어요.

딜란은 짧으면 20센티미터, 길어야 25센티미터가 부족한 것뿐인데…. 남보다 20센티미터 작다고 해서 달라질 게 뭐가 있을까요?

마리옹이 해변에서 딜란을 보았다면 아마 눈길조차 주지 않았을 겁니다. 몸과 얼굴, 눈과 손이 마음에 들었다면 상대를 부르는 초대라고 볼 수 있어요. 상대를 향해 다가가도 된다는 초대 말이에요. 하지만 마리옹에게 딜란의 몸은 초대의 신호가 아니었어요. 오히려 딜란에게 다가갈 수 없도록 방해하는 걸림돌이 되고 말았지요.

다가가기 직전에 멈추기

쪽쪽

이따금 우리는 상대를 향해 다가가기 직전에 멈추곤 해요. 키가 작다는 이유로, 너무 뚱뚱하다는 이유로, 머리숱이 적다는 이유로, 여드름이 너무 많다는 이유로 말이에요. 너무 부족하거나 많다는 이유로 망설이지요. 우리는 상대에게 가까이 다가가지 못하고 그만두지요. 그래서 관계를 더 진전시키지 못하고 상대의 정신세계를 알 수 있는 곳까지 가질 못한답니다.

마리옹은 몸을 돌렸어요. 딜란에게 뭐라고 말을 걸려고 했지만 그는 어느새 사라지고 없었습니다. 마리옹은 딜란을 찾아 여기저기 돌아다니다 마침내 딜란이 친구들과 함께 있는 걸 보았답니다.

꿈

모드의 입가에 미소가 번졌어요. 야호! 대학 합격자 명단에 그녀의 이름이 있었답니다. 정말 잘됐어요! 너무 행복한 순간이에요!

문이 열리는 소리에 잠이 깬 모드는 시계를 보았어요. 아빠가 일하러 나가시는 소리였나 봐요. 아이고, 이런! 모드는 베개에 얼굴을 파묻었어요. 꿈이었어요! 모드는 아직 수능시험을 치르지도 않았답니다. 모드는 크게 실망했어요.

"난 진짜 붙은 줄 알았어! 그래서 모든 사람에게 이 기쁜 소식을 알리려고 했는데! 믿을 수가 없어!"

어쩌면 모드는 계속 꿈을 꾸고 있는지도 모릅니다. 문소리에 잠이 깨어서 시계를 보고 베개에 얼굴을 파묻은 것까지 꿈일 수도 있잖아요? 모드가 자리에서 일어나

아침을 먹고, 학교에 가고, 친구들과 수다를 떨고… 이 모든 행동이 꿈이 아니라고 확신할 수 있나요?

어쩌면 삶은 하나의 큰 꿈일지도 몰라요. 어쩌면 우리가 현실이라고 부르는 세상은 존재하지 않을지도 모르죠. 언젠가 우리 모두가 꿈에서 깨어나는 날이 올지도 몰라요. 그러면 다 알게 되겠지요.

이상해요, 정말 이상해요. 우리가 하는 생각은 정말 특이해요! 생각만 해도 어지러워요. 무엇 하나 절대적으로 확실한 게 없어 보여요. 우리는 모든 것을 의심할 수 있어요. 그리고 우리가 하는 모든 생각들이 틀릴 수도 있답니다.

고마운 정신

맞아요. 내가 잠에서 깨지 않았다고 생각할 수 있어요. 또 내 주변에 존재하는 것은 아무것도 없다고 생각할 수도 있지요. 심지어 내 몸도 존재하지 않는다고 생각할 수 있어요.

하지만 모든 것을 부인해도 딱 한 가지 부정할 수 없는 것이 없어요. 내가 생각을 하지 않는다고 생각하는 건 불가능해요.

내가 생각하지 않는다고 생각하는 것도 어쨌든 생각이니까요. 이 생각은 부정할 수 없는 논리적인 사고이니까요. 나는 내가 생각을 하고 있다는 걸 알고 있으니까요. 그래서 내가 생각을 한다면, 고로 나는 존재하는 거예요. 결코 틀림없는 진리지요. 나는 내가 존재한다는 것을 아니까요.

모드는 시계를 보고 다시 눈을 감았어요.

"어쩌면 모든 게 사실이 아닐 거야. 그래도 난 이렇게

존재하잖아."

모드는 큰 인형을 꼭 껴안으며 생각했습니다.

생각을 할 수 있어서, 정신이 있어 줘서, 참 고마워요.

브리스 베른은 누구일까요?

  눈을 뜬 남자는 머리가 너무나 아팠습니다. 팔과 다리, 여기저기를 만져 보니 다행히 다친 곳은 없었어요. 윗옷 주머니에 지갑이 들어 있었지요. 지갑 안에는 지폐 세 장과 카드 세 장이 있었습니다. 신분증도 있었고요. 남자는 신분증을 꺼내어 적혀 있는 내용을 읽어 보았습니다.

- 성: 베른
- 이름: 브리스
- 성별: 남자
- 생년월일: 1992년 7월 27일
- 출생지: 누이옹퐁 54번지
- 키: 185센티미터

"브리스 베른이 누구지? 주머니에 있는 신분증은 어디에 쓰는 거지?"

남자는 중얼거렸습니다.

주변을 둘러보아도 아무것도 기억나는 게 없었지요.

남자는 거울 쪽으로 다가갔어요.

하지만 거울에 비친 것은 처음 보는 얼굴이었답니다.

기억을 잃어버린 이 남자가 얼마나 당황했을지 상상해 보세요.

팔과 다리, 머리는 분명 그의 것이었지만 정작 자신은 누구인지 모릅니다.

그는 누구일까요?

모든 기억이 지워져 남자의 정신은 텅 비었어요.

길을 잃은 이 남자는 자신이 누구인지 전혀 기억하지 못합니다. 브리스가 자신의 이름이라는 것도 확신이 없답니다.

존은 누구일까요?

존은 얼굴과 몸 전체를 감싼 붕대를 풀었습니다.

'제발 수술이 잘되었어야 할 텐데….'

존은 거울 쪽으로 걸어가며 조바심이 났어요.

코와 입, 눈을 자세히 살펴보니 수술은 성공적이었어요. 이제 아무도 예전의 존인 줄 알아보지 못할 겁니다. 존의 몸은 완전히 달라졌답니다. 존은 만족해 하며 중얼거렸어요.

"새 몸에 걸맞게 새 이름을 지어 주어야 하는데… 뭐라고 짓지?"

존은 몸과 얼굴을 성형했어요. 몸 전체를 새롭게 바꾼 것이지요. 그렇지만 자신이 존이라는 것은 잘 알고 있답니다.

 나의 몸은 내 것입니다. 하지만 내 몸이 곧 나를 정의
하는 것은 아니에요.

끔찍한 일

장사꾼은 노예들을 난간 위로 올라가게 했습니다. 그러자 사람들이 노예들을 가까이에서 보려고 우르르 몰려들었어요. 한 사람이 흰 장갑을 꺼내어 끼더니 노예의 이를 손으로 만져 보고는 장사꾼을 향해 소리를 질렀어요.

"아까 스무 살이라고 하지 않았소? 이가 상한 걸 보니 마흔은 족히 되겠는걸."

"마흔이라니요? 그럴 리가요!"

장사꾼이 노예를 떠밀며 말했어요.

"톰, 네가 얼마나 힘이 세고 팔팔한 놈인지 어서 보여드려."

마침내 노예가 건강하다는 게 확인이 되었습니다. 농장에 데려가 힘든 일을 시켜도 거뜬히 해낼 정도였지요.

"좋소, 사겠소."

"더 필요하진 않나요?"

● 　 장사꾼이 돈을 챙기며 물었습니다.

정말 끔찍한 이야기지만 실제로 있었던 일입니다. 몇 백 년 동안 수백만 명의 남자와 여자, 그리고 아이들이 노예로 팔려 나갔습니다. 수많은 사람들이 노예란 이유로 몸뚱이만으로 평가를 받으며 살던 시절이 있었지요.

몸무게, 키, 근육량…. 죽어라고 일만 해야 하는 몸은 기계나 다름없지요. 사람의 몸뚱이만 보고 그에게 감정과 취향, 기억, 욕망, 계획이 있다는 것을 무시한 겁니다. 그에게도 정신이 있다는 것을 말이에요. 정신이 없는 사람 취급을 하는 것은 사람의 고유한 본성을 죽이는 것과 마찬가지랍니다.

듣기 싫은 휘파람 소리

제시카와 콩스탕스는 화가 났어요.

밖에 나갈 때면 길에서 마주치는 동네 청년들이 자기들을 계속 귀찮게 했거든요. 오늘도 집 밖으로 나온 제시카와 콩스탕스는 또 남자들의 휘파람 소리를 들었습니다.

게다가 뒤에서 그녀들을 향해 몸매가 어떻고 옷이 어떻고 하는 기분 나쁜 소리가 들렸지요. 그래서 아침에 옷을 입을 때마다 치마가 너무 짧거나 야하지는 않은지, 옷이 너무 착 달라붙는 건 아닌지 고민한답니다.

제시카와 콩스탕스는 큰길을 지날 때에는 아예 시선을 내리깔고 걸었습니다.

그저 외모에만 관심이 있는 동네 청년들은 두 사람의 몸과 입고 있는 옷에 대해서만 말을 하지요. 이것은 제

시카와 콩스탕스의 정신을 짓밟고 무시하는 겁니다. 제 시카와 콩스탕스는 아무리 생각해도 도저히 참고 넘어 갈 수 없었습니다.

부드럽고 빛나는 머릿결

완벽한 얼굴

섬세한 손가락

딱 달라붙은 옷

짧은 치마

최신 유행하는 신발

길고 쭉 뻗은 다리

남의 시선

"저기, 저 남자 좀 봐! 하얀 셔츠 입은 남자, 괜찮지 않아? 근데 좀 통통한 것 같다, 그치?"

미카엘은 두 여자가 자기 쪽을 힐끔거리며 하는 말을 들었습니다.

누구 다른 사람을 말하나 싶어 주위를 두리번거렸지만 두 여자의 시선이 향하는 곳에는 자기밖에 없었지요.

정신은 우리 눈에 보이지 않지만, 몸은 사람들 눈에 드러나지요. 그 점은 어쩔 수 없이 받아들여야만 해요. 다른 사람이 우리를 어떻게 생각할지는 우리가 결정할 수 있는 게 아니니까요. 미카엘도 주변 사람들의 시선을 받을 수밖에 없습니다. 지금은 두 여자가 그를 쳐다보고 있군요.

'내가 정말 뚱뚱한가?'

미카엘은 배를 쏙 집어넣으며 속으로 생각했어요.

미카엘은 수백 번도 넘게 거울을 들여다
보았어요. 하지만 아무리 봐도 자신
의 몸이 어떤지 알 수가 없었지
요. 아무래도 자신의 몸이 어
떤지 판단하는 데에는 다른
사람의 시선이 어쩔 수
없이 필요한 것인지
도 모릅니다.

활짝 열린 감옥

"너, 마농 알지?"

"마농? 빨간 곱슬머리 여자애?"

"프랑크도 알아?"

"프랑크? 다리를 약간 저는 남자애?"

"마고는?"

"얼굴이 금방 빨개지는 소
심한 애가 마고 맞지?"

"너, 줄리앙 알아?"

"줄리앙? 항상 장난치며 농담하는 애?"

마농과 프랑크, 마고와 줄리앙은 자신이 그저 '빨간 곱슬머리', '다리 저는 애', '소심한 애', '장난치는 애'가 아니라는 것을 잘 알고 있어요. 하지만 다른 사람들이 자신을 볼 때 몸을 볼 수밖에 없다는 것도 잘 압니다. 우리가 투명 인간이 아닌 이상, 또 무인도에 혼자 살지 않는 이상 어쩔 수 없는 일이지요. 우리의 몸은 남의 시선을 받고 평가를 받습니다. 물건이나 도구처럼 여러 종류로 분류되는 셈이지요.

로렌스는 친오빠가 자신의 다리를 '무다리'라고 놀린 뒤부터 도저히 수영복을 입을 자신이 없었어요. 바닷가에 놀러 가서도 로렌스는 비치 가운을 입은 채로 수영할 엄두를 내지 못했지요.

로렌스의 친오빠가 동생을 물건 취급했을지라도 그녀가 자신을 어떻게 다룰 것인가는 스스로의 결정에 달려 있습니다. 자신의 선택에 따라 로렌스는 친오빠의 시선이 만든 감옥에 갇혀 살 수도 있답니다. 하지만 이 감옥의 문은 활짝 열려 있지요. 로렌스가 군이 비치 가운으로 자신의 무다리를 가리지 않겠다고 자유롭게 선택할 수도 있으니까요.

팔 하나가 없어도 배우가 되겠다고 결심할 수 있어요. 말을 더듬어도 정치가가 될 수 있고요. 최고의 미인이 아니어도 얼마든지 모델처럼 무대에 설 수 있답니다.

다른 사람이 자신을 물건처럼 보아도 우리 스스로 그 시선을 거부할 수 있는 자유가 있으니까요.

따뜻한 마음과 넓은 이마

"가랑스는 머리가 정말 좋아."

"너희 작은형은 마음이 정말 넓은 것 같아!"

"이반은 걱정하지 마. 간이 엄청나게 큰 녀석이라서 괜찮을 거야."

"이베트의 머리에는 수학을 잘하는 혹이 있나 봐."

"피에르 코는 정말 개코야. 뭐든지 다 맞춘다니까!"

"진정해. 헥토르는 어깨가 넓은 아이야."

우리가 지금 머리와 마음, 간과 머리에 난 혹, 코에 대해 말했지만, 사실은 다른 얘기를 하고 있는 거예요. 가랑스의 영리함, 형의 인자함, 이반의 용기, 이베트의 수학적 재능, 피에르의 뛰어난 직관력, 헥토르의 침착함을 몸으로 표현한 거예요.

인자함이 정말 마음 안에 있는 걸까요? 직관력은 정말 코에서 생기는 걸까요? 용기가 정말 간 속에 있나요?

그뿐이 아니에요. 우리가 자주 듣는 말이 있지요.
"뚱뚱한 사람은 착해."
"턱이 튀어나온 사람은 의지력이 강해."
"백인은 이렇고, 흑인은 이래."
"이마가 넓은 사람은 똑똑하지."
"입술이 얇은 사람은 구두쇠야."

사람의 성격이 몸과 피부색, 키와 몸무게로 결정된다는 말인데… 그럼, 왜 손톱 모양과 허벅지 두께로도 사람을 평가하지 그래요?!

아저씨는, 앞날을 잘 볼 거예요!

에이, 농담하지마.

누가 결정하나요?

스타일 전문가가 폴린느의 집을 방문했어요.

"당신의 집은 유행과는 거리가 머네요. 벽을 분홍색으로 다시 칠하고 긴 소파 대신 안락의자를 놓으세요. 카펫을 떼어 내고 마루를 까는 게 좋겠어요. 이 벽을 허물면 거실이 훨씬 넓어질 겁니다."

"지금 누굴 위해서 그래야 하죠? 여기는 내 집이라고요! 내가 싫어하는 색이 분홍색이에요. 그리고 이 긴 소파는 내가 아주 아끼는 가구라고요."

폴린느의 반응이 잘 이해될 거예요. 왜 우리가 남이 좋아하는 스타일을 따라야 하는 거죠? 이 집은 그 누구의 것도 아닌 폴린느의 집이에요. 집을 어떤 형태로 꾸밀지는 전적으로 폴린느가 스스로 결정해야죠.

"3주 안에 3킬로그램을 빼세요."

"뱃살을 빼기 위해 열 가지 운동을 하세요."

"허벅지 근육을 기르세요."

"탄탄한 엉덩이를 만드세요."

"늘씬한 몸매를 만들어야 해요."

"3주 동안 고운 피부를 가꿔 보세요."

잡지나 약국 광고, 텔레비전에서는 늘 마르고 탱탱한 여자, 까무잡잡하게 태운 여자들에 대해 말해요. 그래서 폴린느도 그 여자처럼 되고 싶어 한답니다. 곧 다가올 여름에 꼭 수영복을 입어야 하기 때문이지요.

폴린느는 집을 꾸미는 문제와는 다른 반응을 보였지요. 살을 빼고 복근을 만들고, 피부를 까맣게 태우기 위해 돈을 썼어요. 폴린느는 잡지에 나오는 여자와 닮고 싶어서 기꺼이 자신의 몸을 바꾸려 했답니다. 그렇다면 폴린느의 몸은 다른 사람의 시선을 신경 쓰니 온전히 자신의 것이라고 할 수 없을 테지요.

초콜릿, 땅콩, 채널 돌리기

저녁마다 미라벨 아주머니는 부엌 찬장을 척 열어요!

그 안에는 먹을 것이 그득하거든요.

미라벨 아주머니는 과자와 초콜릿을 꺼내 먹어요.

사탕과 땅콩, 감자 칩도 먹어요.

그것들뿐 아니라 마요네즈와 소시지도 먹지요.

저녁마다 그레구아르 아저씨는 텔레비전을 띠릭 켜요!

200개의 채널을 돌려 가며 볼 수 있어요.

그레구아르 아저씨는 소파에 누운 다음

리모컨으로 채널을 돌리며 텔레비전을 봐요.

입을 반쯤 벌린 채로 화면에서 눈을 떼지 않는답니다.

아저씨는 저녁에 텔레비전 보는 걸 좋아하지요.

"그만, 그만해요!" 미라벨 아주머니를 보면 이렇게 외

치고 싶어요. 아주머니와 그녀의 건강 상태가 당연히 걱정되니까요. 우리는 그레구아르 아저씨도 걱정해야 할까요? 눈앞에 보이는 건 모두 눈으로 집어삼키고 있으니 당연히 걱정을 안 할 수가 없지요.

  우리는 몸을 건강하게 유지하는 법을 배워야 합니다. 영양분을 골고루 섭취해야 해요. 특히 당분과 지방의 섭취량을 잘 조절해야 한답니다.

정신을 건강하게 유지하는 법도 배우고 있나요? 그레구아르 아저씨처럼 정신 건강을 해치는 행동을 하지는 않나요? 상상력을 떨어트리거나 호기심 없는 생활을 하지 않나요? 혼자서 결정을 내리는 게 어렵나요? 꿈이 사라졌나요? 생각을 아예 안 하려고 하지는 않나요? 남의 명령에 조종당하지는 않나요? 욕망이 없는 삶을 살고 있지는 않나요?

정신을 살찌우기

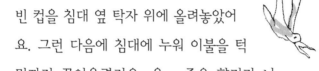

　로라는 뜨거운 초코 우유를 마시고 빈 컵을 침대 옆 탁자 위에 올려놓았어요. 그런 다음에 침대에 누워 이불을 턱 밑까지 끌어올렸지요. 음… 좋은 향기가 나요. 엄마가 오늘 이불을 빨았나 봅니다. 로라는 작은 손을 베개 밑에 밀어 넣었어요. 바로 거기에 부드러운 인형이 있었지요.

　따뜻한 곳에 누워 향기가 나는 이불을 덮고 있어요.

　거기에 보드라운 인형까지 안고 있다면 정말 행복할 거예요.

　하지만 여기서 끝이 아니에요.

　더 환상적인 일이 지금부터 일어날 거예요.

로라는 누운 채 가만히 눈만 크게 떴어요. 그리고 부드러운 인형을 뺨에 살살 문질렀지요.

이제 엄마가 침대 가장자리에 앉아 동화책을 읽어 줄 시간이에요.

"옛날 옛적에…"

엄마가 10분 동안 로라에게 책을 읽어 주는 시간은 로라의 정신에 달콤한 이야기를 들려주는 것과 같아요.

우리는 자주 텔레비전을 보거나 컴퓨터 게임을 하면서 시간을 보냅니다. 하지만 이 시간은 작은 열쇠 구멍으로 세상을 들여다보는 것과 같아요.

우리가 진짜로 볼 수 있는 것은 거의 없죠. 늘 같은 것만 보니까요. 그러면 세상이 정말 작고 심심하게만 보일 겁니다.

  정신은 우리가 더 넓은 세상을 볼 수 있도록 길을 열어 주는 역할을 해요. 그래서 우리가 멋진 세상을 계속해서 볼 수 있도록 도와줍니다. 이야기와 시, 음악과 그림, 풍경과 대화를 통해 정신은 더욱 풍요로워지지요. 그렇게 정신은 계속해서 살찌우는 걸 좋아해요.

생각의 변화

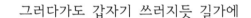

롤랑은 걸핏하면 화를 내요.

지나가던 사람들이 말려도 소용없어요.

그러다가도 갑자기 쓰러지듯 길가에 털썩 주저앉지요.

눈물이 글썽해진 롤랑은 너무 지쳐 보여요.

사흘 동안 잠을 제대로 못 잤거든요.

그날 아침에는 길이 막혀 4시간 동안 차 안에서 시달려야 했지요.

그래서 롤랑은 점심을 먹을 시간도 없었답니다.

만약에 롤랑이 지난밤에 잠을 푹 잤다면, 차 안에서 오랫동안 기다리지 않았다면, 점심을 든든히 먹어 허기지지 않았다면, 아마 트럭 운전사를 공격하는 일은 없었을 거예요.

배고픔과 목마름, 피곤과 고통, 추위와 더위는 인간의
몸을 힘들게 해요. 그렇게 되면 정신이 있을 자리가 없
어요. 몸이 명령을 내리고 감각이 정신을 결정하니까요.
그래서 정신이 건강하려면 몸이 정상적으로 기능을 해
야 해요. 그래야 정신도 제대로 기능하지요.

"기다려요. 잠시 생각 좀 해 보고 대답할게요."
이바나가 외투와 신발을 벗고 물을 한 컵 들이켰어요.
그러고 나서 안락의자에 앉아 두 눈을 감았습니다.

이바나는 몸을 편안하게 하고 싶었어요. 그래서 눈을
감고 생각을 가다듬었지요. 그래야 확실한 결정을 내릴
수 있으니까요.

장은 배를 바닥에 대면 머리가 잘 돌아간대요.
데니스는 걸어 다닐 때 좋은 아이디어가 떠오르지요.

크리스토프는 샤워하면서 생각을 많이 해요.

또 짐은 생각을 해야 할 때 향을 피운답니다.

중요한 결정을 내릴 때 릴리는 책상다리로 앉습니다.

사미아는 발 마사지를 하고요.

누가 고민을 할까요? 누가 결정을 내리고 생각을 할까요? 정신일까요, 몸일까요? 둘이 함께 하는 거예요.

둘이 함께

켄자는 세계 여행을 하면서 얻은 소중한 추억이 참 많아요.

인도 여자들처럼 미간에 빨간 점을 찍어 보기도 하고, 손등에 대칭 무늬를 그린 적도 있지요.

춤을 추기 전에 온몸에 그림을 그려 넣어 본 적도 있답니다.

또 목을 길게 늘이기 위해 굵은 목걸이를 한 적도 있어요.

머릿기름을 발라 머리를 땋아 보기도 했지요.

또 여행 도중에 켄자에게 코걸이를 해 보라고 제안을 한 사람도 있었어요.

전 세계 곳곳에서 사람들은 몸을 꾸미며 살아요. 몸에 그림을 그리거나 문신을 하는가 하면 피어싱을 하기도 해요. 또 몸의 일부를 변화시키거나 화장을 해 몸을 꾸미기도 하지요. 홀딱 벗고 사는 사람은 이제 없어요.

인간은 몸에 무언가를 새겨 놓고 싶어 해요. 그래서 정성스럽게 몸을 장식한답니다. 인간은 자연이 준 그대로의 몸으로 살지 않아요. 인간의 몸은 정신의 흔적이라고 할 수 있으니까요.

식탁에서 나가!

눈은 저절로 깜박거리고, 폐는 공기를 빨아들여요. 심장이 콩닥콩닥 뛰고, 위에서는 소화가 일어나요. 우리가 건강할 때 자동적으로 일어나는 현상이에요. 그럴 때 몸에서 소리가 나고 냄새도 나요. 또 몸이 빨개지거나 땀을 흘리지요.

뿌웅!

"당장 식탁에서 나가!"

"불공평해요! 안나가 트림을 하면 뭐라고 안 하시잖아요!"

화가 난 마게리트가 소리쳤어요.

"또 안나는 손가락으로 코를 후비는데도 아무도 혼내지 않아요."

마게리트가 계속 말을 이었습니다.

그래요, 맞아요. 마게리트는 집에서 큰 소리로 트림을 하면 안 돼요. 사람들 앞에서는 방귀도 참아야 하고 똑바로 앉아 있어야 해요. 또 하품을 할 때면 손으로 입을 꼭 막으라고 배웠어요.

하지만 여동생 안나한테는 아무도 잔소리를 하지 않아요. 아직 너무 어리거든요. 하지만 안나도 언니처럼 크면 몸에서 일어나는 반응을 잘 조절할 줄 알아야 해요.

한마디로 말해서, 예절을 지켜야 하는 거지요. 남에게 피해를 주지 않기 위해서 하는 행동을 말하는 게 아니에

내 말 들으라고 했잖아!!

요. 여기서 말하는 예절은 나에게도 정신이 있다는 것을 보여주는 것과 같아요. 우리가 다른 사람을 만날 때, 단순히 두 사람의 몸이 만나는 것이 아니니까요. 두 사람의 정신도 함께 만나 서로의 생각을 주고받지요.

- 마게리트는 방문을 쾅 닫으며 침대로 뛰어갔어요.
- 발로 벽을 치면서 풍선껌을 씹었어요.
- 마게리트는 껌으로 풍선을 계속 불었답니다.

후유! 혼자 있을 때에는 자기가 하고 싶은 대로 해도 상관없겠죠?

사랑에 빠진 두 사람

"아빠랑 엄마가 어떻게 만났는지 얘기해 주세요."

엄마 엘렌느가 웃음을 터트렸어요.

"엄마, 왜 웃으세요?"

"네 아빠를 처음 봤을 때, 별로 눈에 띄는 사람이 아니었거든. 그 생각이 나서 웃은 거야."

"정말이에요?"

"갈색 머리에 키가 작았는데, 솔직히 엄마 스타일은 아니었어."

"그럼, 아빠가 못생겨 보였단 말이에요?"

"아니, 정말 멋진 남자였지."

정신은 마술과 같은 힘이 있어요. 생각하기에 따라서 몸도 아름답게 보일 수 있답니다. 멋진 만남은 그렇게 일어나는 거예요. 서로 사랑하는 두 정신의 만남, 서로 사랑하는 두 몸의 만남이 진정한 만남이랍니다.

나만의 철학 맛보기 노트

가끔씩 친구들 두세 명 또는 여럿이서 모여 영화를 보거나 놀이를 하지요. 또 발표 숙제를 준비하거나 음악을 듣기도 하고요. 때로는 친구들과 있으면서 특별히 무언가를 하지 않을 때가 있는데, 이럴 땐 모두가 관심 있어 하는 주제에 대해 대화를 나누어 보세요.

대화를 하다 보면 부모님, 선생님, 친구, 사랑, 전쟁, 부끄러움, 불공평 등 다양한 주제로 이야기가 이어져요. 그러면서 우리는 다른 세상을 꿈꾸지요!

그러다가 밤이 되어 혼자가 되면 그 주제에 대해 다시 생각합니다.

다른 사람들과 세상의 모든 것에 대해 이야기를 나눌 수 있다는 것은 정말 좋은 일이에요. 물론 자기 말만 하고 도무지 남의 이야기를 들으려고 하지 않는 사람들과 있으면 의견 차이를 좁히지 못해 화가 날 때도 있지만요.

하지만 의견이 다르면 좀 어때요! 우리가 함께 정한 주제에 대해 자유롭게 이야기하고 토론하는 것이 더 중요하지 않을까요? 자기 집이나 친구 집, 학교에서도 이야기를 나누면 어떨까요?

진짜 철학 맛보기에 성공하고
싶다면 몇 가지 주의할 것들이
있답니다.

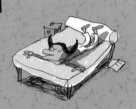

● 대화 참여자 수는 10명 이내로 하는 것이 좋아요.

● 마실 음료와 간식을 미리 준비해 두면 좋고요!

● 바닥에 앉아도 좋고, 각자 편한 자세로 자유롭게 대화를
나누는 겁니다. 둥글게 빙 둘러앉아서 한가운데에 음식을
놓을 수도 있습니다.

● 대화 주제를 미리 정한 것이 아니라면 누군 가가 나서서 여러 가지 주제를 제안할 수 있지요.

● 각자 가장 마음에 두고 있는 주제를 내놓습니다. 자신의 선택을 미리 말해서 다른 사람에게 영향을 주지 않도록 주의해야 해요.

● 가장 인기 있는 주제를 투표로 결정합니다. 한 사람당 한 가지 주제만 선택할 수 있어요.

● 가장 많은 표를 받은 주제가 바로 오늘의 대화 주제가 되는 것입니다.

상대의 말에 **귀를 기울이**고, 서로 싸우지 않으면서 나와 다른 의견을 받아들여야 합니다. 그리고 모두에게 말할 수 있는 공평한 기회를 주어야 해요. 그러려면 어떻게 해야 하는지 다음 내용을 읽어 보고 실천해 봅시다!

자, 이제 시작할까요?
한 시간 정도 대화를 나눠 보세요!
뜻깊은 하루가 될 거예요!

몸과 정신

과일 주스와 과자도 있고 대화의 주제도 벌써 준비되어 있군요! 오늘의 주제는 바로 '몸과 정신'입니다. 만약 대화를 바로 시작하기 어렵다면 다음과 같이 해 봅시다. 서로 멀뚱멀뚱 쳐다보기만 하고 아무도 말을 하지 않을 경우도 있을 테니까요.

● 11쪽의 마야처럼 정신의 힘을 느낀 적이 있습니까?
13쪽의 클레망스와 주스틴처럼 느꼈던 적이 있나요?

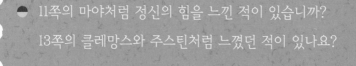

몸과 정신

● 20쪽에서 딜란의 몸을 보고 난처해 했던 마리옹과 비슷한 경험을 한 적이 있나요? 여러분이 마리옹이었다면 어떻게 행동했을까요?

_____

_____

● 딜란이 어떤 생각을 했고 어떤 기분이었는지는 나와 있지 않아요. 어떨 것 같나요?

_____

_____

_____

● 46쪽에 나오는 그레구아르 아저씨의 정신이 위기에 빠졌다는 점에 대해 동의합니까?

_____

_____

_____

친구들과 대화할 때 이 책을 활용해 보세요. 한 친구가 먼저 본문의 일부 또는 일화 한 편을 읽습니다. 그런 다음에 이와 비슷한 경험을 한 사람이 자신의 얘기를 들려줍니다. 그러고 나서 본문의 내용이 무엇을 의미하는지 서로 이야기를 나누세요.

스스로에게 질문을 할 수도 있고 다른 사람에게 질문을 할 수도 있어요. 질문에 대한 대답을 함께 찾아보세요. 확실한 대답을 찾기 어려운 질문도 있습니다. 왜냐하면 질문 속에 또 다른 문제들이 숨어 있거든요.

몸과 정신

몇 가지 예들을 생각나는 대로 적어 보면 다음과 같아요. 다음 질문에 전부 대답 하려면 아마 몇 시간은 걸릴 거예요!

"인간은 무엇일까요?"

"우리가 존재한다는 것을 어떻게 알지요?"

"정신은 어디에 있나요?"

"다른 사람이 우리의 몸에 대해 어떻게 생각하는지 알 수 있나요?"

"남의 시선을 심하게 의식했던 적이 있나요?"

"정신을 풍요롭게 살찌워야 할까요?"

"그렇다면 어떤 것을 정신에게 줄 건가요?"

"건전한 몸에 건전한 정신이 깃든다는 말은 무슨 의미일까요?"

이제 여러분이 대답할 차례예요!
철학 맛보기 시간!
여러분의 생각을 표현해 보세요!

내 생각은...

내 생각 ...

내 이야기는...

● 철학 맛보기 시리즈 ●

〈철학 맛보기〉 시리즈는 계속해서 출간될 예정입니다.

〈철학 맛보기〉 시리즈는 우리 주변에서 일어나는 일상의 일들을 생각 해보는 '생활 철학'입니다. 어린이의 눈높이에 맞게 생활 속의 이야기를 들려주고 아이들 스스로 논리적 사고를 할 수 있도록 도와줍니다.